Collection folio benjamin

ISBN: 2-07-039155-8
Titre original: Smile for Auntie
Publié par Dial Press New York,
© Diane Paterson 1976
© Editions Gallimard 1981, pour la traduction
1987, pour la présente édition
1er dépôt légal: Avril 1987
Dépôt légal: Mars 1992. Numéro d'édition: 55911
Imprimé en Italie par La Editoriale Libraria

Fais-moi un sourire

Diane Paterson

Traduit par
Anne-Marie Sarocchi

Gallimard

Fais-moi un joli sourire.

Je vais chanter une chanson
pour te faire rire.

Je vais faire quelques pas
de danse.

Je vais faire des grimaces
très drôles.

Je vais me mettre la tête en bas.

Je vais faire des pirouettes,
des galipettes.

Fais-moi juste un joli
petit sourire.

Je te donnerai une glace.

Je te donnerai beaucoup
de jouets.

On jouera à « coucou,
qui est là ? »

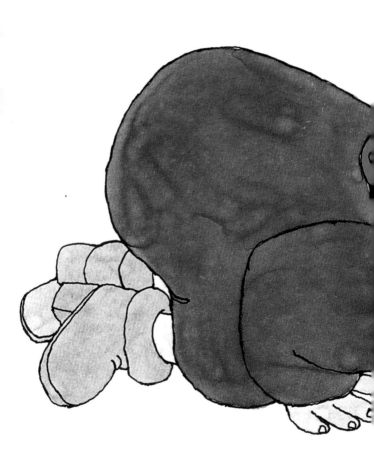

Je te ferai des bisous.

Tu ne souris pas ?

Je vais te chatouiller le ventre.

Je vais chatouiller
tes petits pieds.

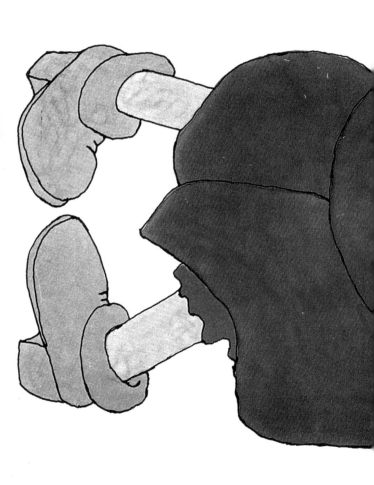

Je vais te chatouiller partout,
partout.

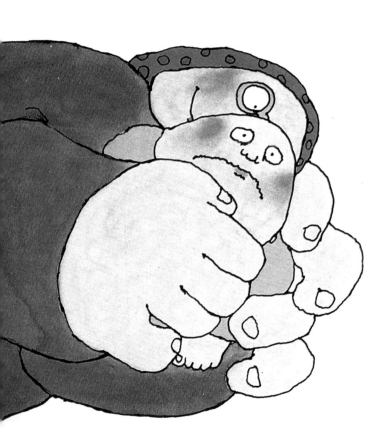

Pourquoi ne fais-tu pas
un joli sourire ?

Bon ! Eh bien...
je vais m'en aller et plus jamais
je ne reviendrai.